小亮老师的博物课

大开眼界的陆地动物

张辰亮 著 尉 洋等 绘

天地出版社 | TIANDI PRESS

我是一名科普工作者，经常在微博上回答网友提的关于花鸟鱼虫的问题，很多人叫我“博物达人”。我得了这个称呼，自然就常有人问我：“博物到底是什么呢？”

博物学是欧洲人在刚刚用现代科学视角看世界时产生的一门综合性的学问。当时的人们急切地想探知万物间的联系，于是收集标本、建立温室、绘制图谱、观察习性，这些都算博物学。博物学和自然关系密切，又简单易行，普通人也可以参与其中，所以曾经引发了欧洲的“博物热”。博物学为现代自然科学打下了根基。比如，达尔文就是一位博物学家，他通过对鸟兽的观察、研究，提出了“进化论”。“进化论”影响了人类数百年。

科学发展到现在，已经非常复杂高端，博物学在科学界也已经完成了历史使命，但博物学本身并没有消失。我们普通人往往觉得科学有点儿高端，和生活有点儿脱节。但博物学不一样，它关注的是我们生活中能见到、听到、感受到的事物，它是通俗的、有趣的，和自然直接接触的，这使它成为民众接触科学的最好途径。

博物学是孩子最好的自然老师。

我做了近十年的科普工作，现在也有了女儿，当她开始认识世界，对什么都好奇时，每次她问我“这是什么？”的时候，我就在想：她马上要听到她一生中这个问题的第一个答案！我应该怎么说，才能既保证准确、不糊弄孩子，也能让孩子听懂呢？

我不禁回想起当我还是一个孩子的时候，我的家长是怎样回答我的问题的。

在我小时候的一个冬天，我踩着雪去幼儿园，路上我问我妈：“我们踩在雪上，为什么会发出嘎吱嘎吱的响声？”我妈说：“因为雪里有好多钉子。”到了夏天，我又问我妈：“打雷是怎么回事呢？”我妈告诉我：“两片云彩撞一块儿了，咣咣的。”

这两个解释留给我的印象极深，哪怕后来学到了正确的、科学的解释，这两个答案还是在我的脑中挥之不去。

我想这说明了两件事。

第一，童年得到的知识，无论对错，给人留的印象最深。如果首次得到的是错误答案，以后就要花很大精力更正它。如果第一次得到的是正确的知识，并由此引发兴趣，能够探究、学习下去，将受益终生。所以让孩子接触到正确的知识很重要。

第二，这两个问题的答案实在太通俗、太有趣了，所以我一下就记住了。如果我妈当时跟我说了一堆公式，我肯定早就忘了，也不会对自然产生持续的兴趣。所以，将知识用合适的方式讲给孩子也很重要。

这些年我在微博上天天科普，回答网友的问题，知道大家对什么最感兴趣。我还多次去全国各地给孩子们做科普讲座，当面听到过无数孩子的提问，对孩子脑袋里的东西也有一定的了解。

我一直在整理我认为最贴近孩子生活、对孩子最有用的问题的资料。最近，我觉得可以把这些问题的答案分享给更多的孩子和家长了，于是我就在喜马拉雅上开了一门课程——《给孩子的博物启蒙课》。

这门课程一共分为六个主题模块，分别是花草树木、陆地动物、水生动物、鸟类、昆虫、身边自然，涵盖了植物、动物、进化、天文、地理、物理等方面的知识，选取的内容都是日常身边能见到，孩子们能感知的事物。这 60 期课程的主题也都是孩子们感兴趣的话题，想必里面的不少内容，孩子们都问过家长，如果家长不知道怎样回答孩子，就让他们听我讲吧！

我希望这门课程不但能使孩子们获得知识，而且能让他们用正确的态度对待自然。如果它还能让孩子对大自然和科学产生好奇，进而有更多独立的思考和探究，就更好了。

音频课播完后，我本来以为完成“任务”了，可很多家长和孩子都问：“开不开第二季？”看来大家挺爱听！我在欣慰的同时又有点儿犯难：录制这套课程非常耗费时间和精力，我还没有下定决心开第二季。好在已录制的部分可以全部出成书，听完课没记住内容的话，可以翻翻书，书中配有大量图片，看书也更直观。看完这本书，希望你能被我带进博物学的大门，养成认真看书、独立思考、善于野外观察的好习惯，成为一名大自然的热爱者、研究者和保护者。

目录

大开眼界的陆地动物

目录

小朋友最适合养什么小动物？

很多小朋友都有过缠着爸爸妈妈给自己买狗或猫的经历。我小时候也一直缠着爸爸买狗，我爸爸一直说：等我们搬了家，有阳台了，就给你买一条狗。可后来家里有阳台了，爸爸也不提这事了。不过，我找到了一个非常好的替代品——仓鼠。如果小朋友特别想养毛茸茸的哺乳动物，又没有条件养猫或狗的话，养仓鼠是不错的选择。

养仓鼠有哪些优点呢?

养仓鼠最大的优点就是它个头儿小，不占地方。成年的仓鼠也只有巴掌大小，养一只仓鼠，只需要用鸟笼那么大的笼子就够了，非常节省空间。

第二个优点是仓鼠的行为特别多，观赏起来很有意思。我用一种铁丝做的仓鼠笼养仓鼠，大小和鸟笼子差不多，但是里边有小房子，小房子连着滑梯，在滑梯的对面还有一个滚轮。除此之外，我还往笼子里放了一个仓鼠的洗澡池。这些都是用塑料做的。

仓鼠平时会顺着滑梯或者笼子的铁条爬到二楼的房子睡觉，饿了、渴了就从滑梯上滑下来吃东西、喝水，还经常钻到洗澡池里洗澡。记住仓鼠用沙子洗澡，不要用水给它洗澡。在洗澡池里放上白色的仓鼠洗澡沙，它就会在里边滚来滚去，十分可爱。仓鼠笼子里一定要摆一个滚轮，滚轮就像跑步机一样，仓鼠可以在上面原地跑步。我们只看仓鼠每天忙忙碌碌地跑来跑去、吃东西和洗澡，就充满乐趣了。

第三个优点是清理起来很方便。仓鼠很干净，不会掉毛。它有一些气味，但只要勤清理，就几乎闻不到。另外，它在笼子里大小便，不需要遛，只要打扫笼子就可以了，所以很好清理。

第四个优点是仓鼠的品种和花色很多。小朋友一般都想把仓鼠放在手里玩，所以我推荐四个品种：三线仓鼠、布丁仓鼠、银狐仓鼠和奶茶仓鼠。这四个品种的仓鼠脾气好，价格也便宜，很容易买到。我们把它们放在手上，它们就会乖乖地在手上待着；如果养得好的话，它们还会在掌心里睡觉。

但是有一些品种，比如“老公公”“老婆婆”，它们的胆子比较小，你把它们放在手上的话，它们可能会害怕，甚至咬你一口。

三线仓鼠

另外，就算是同一个品种的仓鼠，也有脾气大的和脾气小的。我曾经养过两只布丁仓鼠，其中一只脾气特别好，胖得像一个球，坐在那里，我用手指一推它，它就往后倒下了，自己还翻不过来；另一只则精力充沛，比较敏感，人一接近它，它就又叫又咬。所以我们买仓鼠的时候要先挑一挑，选一只温和的仓鼠。

养仓鼠有哪些缺点呢？

第一个缺点是仓鼠的寿命很短，一只仓鼠只能活两三年。

如果你对它倾注了很多感情，养了两年之后，它死了，你会很伤心。如果你没有那么容易动感情，它死了，你可以再买一只新的仓鼠重新养。

第二个缺点是仓鼠有点儿吵。它夜里为了磨牙，会咬笼子的铁条，发出嘎吱嘎吱的响声，所以一定不能把它放在卧室里，要不然会影响睡眠。

第三个缺点是仓鼠会打架。很多小朋友都喜欢把几只仓鼠养在一个笼子里，想让它们相互有个伴儿。仓鼠小的时候放在一起养是可以的，但是仓鼠长大后就会互相打架，直到把其中一方打死才会停下来。我就遇见过这种事，我养了两只小仓鼠，它们之前一直相处得很好。有一天早上起来，我发现其中一只满头都是

布丁仓鼠

血，躺在笼子底下，原来是被另一只仓鼠咬死了。养仓鼠的人大多都经历过这种惨案。所以大家养仓鼠的时候一定要注意，一个笼子里养一只仓鼠，不要合笼。仓鼠不会寂寞的，它单独待着很开心；多一只仓鼠反而会让它觉得危险，要把对方咬死。

仓鼠怎么养呢？

除了像我前面讲的那样布置环境之外，你还要买仓鼠粮。仓鼠粮一般就是各种各样的植物种子，比如一些麦粒、瓜子或玉米碎，这些东西在网上、花鸟市场都有售卖。我们还可以偶尔给仓鼠吃点儿新鲜蔬菜。根据我的经验，仓鼠最爱吃瓜子和面包虫。你给它一颗瓜子，它就蹲在那里，两个爪子捧着，用嘴磕开吃，特别可爱。它还爱吃面包虫，闻见面包虫的味道就像疯了一样，吃起来没完没了。你可以喂仓鼠活的面包虫或面包虫干，但不能多喂，仓鼠吃多了面包虫容易生病。此外，别忘了给仓鼠准备一个水瓶。

家养仓鼠

仓鼠除了“吃喝”，还要“拉撒”。你要在笼子里铺一些垫材，这样它的大小便就不会直接粘在笼底，而会被垫材吸收。我用的是杨树的木屑，一包垫材可以用很久。你买仓鼠的时候最好一次性买齐这些东西，现在卖仓鼠的地方都有配套用品。

笼子底部的垫材最好一个星期清理一次。把木屑倒掉，清洗笼子底部，换上新木屑，然后添好食物和水就可以了。

另外，还要注意，不能把仓鼠放到太阳下晒。仓鼠是一种穴居的鼠，太阳一晒，可能几分钟它就死了，所以一定要把它放在避光的地方。

如果仓鼠对你布置的新环境很满意，你就会看到它的招牌动作：它会把食盆里的食物塞进嘴里，但不吃下去，而是存在嘴里的两个大口袋——“颊囊”里；塞满食物之后，它的脸蛋儿会变得特别大，可爱极了！接着，它会用颊囊带着这些食物回到自己二楼的小房子里，再用小爪子一挤脸蛋儿，张嘴把食物吐出来，存在角落里慢慢吃。这也是它叫仓鼠的

原因。它会自己打造一个小粮仓。野生的仓鼠就是这样收集食物，然后带回窝里储存的。

当你养的仓鼠成年之后，可以考虑给它找一个对象，让它们在笼子里生小崽！两只异性成年仓鼠一般可以和平共处，但是有时候也会打架，这需要你多试几次。两只仓鼠感情好的话，很快就会生一窝小仓鼠，甚至一窝一窝地生个不停，到时候你会发愁这么多仓鼠宝宝如何处理。

很多养仓鼠的人，在仓鼠生下宝宝后，会把仓鼠宝宝往外送或者便宜卖出去，你可以直接从他们手里买仓鼠。你自己养的仓鼠生了小仓鼠，也可以送给别人。

奶茶仓鼠

被仓鼠咬破需要打狂犬疫苗吗?

我曾经被仓鼠咬破过，我当时去查询了一下，发现中国到现在为止还没有一起因为被仓鼠咬了而得狂犬病的病例。

世界卫生组织的《狂犬病防治手册》里也建议，被鼠类、兔子咬伤之后一般都不用打狂犬病疫苗。虽然仓鼠有感染狂犬病的风险，但是以多年的临床经验看，人类被它们咬了之后，还没有得狂犬病的病例。

我们养的仓鼠是在人工环境里生活的，它们接触不到狂犬病的病毒。如果你养的仓鼠被一只狗咬了，仓鼠活了下来，而仓鼠又咬了你，那么你确实需要打狂犬病疫苗。但是这种情况是不可能发生的，仓鼠被狗咬了，是很难活下来的。不过，我建议你在给仓鼠打理笼子的时候，最好还是戴上一副厚手套，免得被它咬了。另外上手玩的时候也尽量注意，一定要选择非常温顺、跟你比较熟悉的仓鼠。那些脾气暴躁的或者你不熟悉的仓鼠，还是不要贸然地用手去摸。了解了这些之后，希望你有一天也能够养一只可爱的小仓鼠。

我的自然观察笔记

小朋友，如果你被允许养一只小仓鼠做宠物，你知道应该为它准备些什么吗？请在下方空白处画出你认为的必需品吧！

刺猬真的会在背上扎果子吗？

虽然刺猬浑身都是刺，但是它好像有一种魔力，让所有人都觉得它很可爱，很想摸摸它。这就是它的奇特之处，它的气质很让人着迷。

刺猬的刺是它身上毛发的变异，又尖又硬。这些刺本来是它防御天敌的一个手段，现在反而成了它最惹人喜爱的地方。

童话故事里也经常出现刺猬的形象，它们往往用刺背着一身的小红果。据说刺猬看到树下掉落的小果子就会打一个滚儿，把这些果子扎在自己的背上，运回家里，再把这些果子甩下来吃掉。

其实这是人们想象出来的画面。为什么呢？因为从来没有靠谱的科学记载说刺猬会在地上打滚儿，把果子扎在背上。刺猬以前在生物学上属于食虫目，这个目里的大部分动物都喜欢吃各种各样的虫子。虽然现在刺猬被划分到猬形目了，但是它的主食还是各种虫子，而不是水果。你要喂它水果，它也会吃，但是刺猬并不喜欢水果，也不会专门把水果搬回窝里吃。刺猬主要吃各种虫子，偶尔吃一些鸟蛋，找不到食物了才会吃一点儿水果。

刺猬的刺上扎着水果，其实是欧洲一个历史悠久的民间传说，大多用在童话和寓言里，不可当真。也可能是秋天的森林中偶尔有树上掉下来的果子，刺猬在翻身的时候不小心把它们扎到了刺上，然后被人看到了，从而演绎出刺猬的这种行为。反正，它是不会主动这样做的！

小刺猬出生时会不会把刺猬妈妈扎疼呢?

其实刺猬自己有办法。小刺猬刚生出来的时候，刺还没长出来，是在皮肤下边埋着的。但是小刺猬被生下来之后，这些刺在一天之内就会从皮肤里长出来。所以出生的那会儿是没有刺的，刺猬妈妈也不会疼。

刺猬遇到敌人会团成刺球，怎么破解它的防御呢?

有一个传说，讲的是黄鼠狼如果碰到刺猬团成的刺球，就会冲着刺猬放一个臭屁；刺猬闻到这个屁会被熏晕，它的身体就摊开了，黄鼠狼就会把刺猬吃掉。其实在现实中，黄鼠狼对刺猬的兴趣并不大，很少吃刺猬。现实中吃刺猬比较多的，有以下几种动物。

一种是狗獾（huān）。狗獾非常凶，它的牙很厉害。它看到刺猬后，会把刺猬翻过来，将牙插进刺猬的肚子里，把

狗獾

刺猬的肚皮咬破，刺猬就死了。

另外，狐狸、猫头鹰等动物也会用同样的方法把刺猬吃掉。

我们如果看到一个团成球的刺猬，有没有办法让它展开呢？其实有一个简单的方法，这个方法还不会伤害刺猬。

你把刺猬拿起来放在手里，双手捧着它，然后轻轻地把它抛向空中，不用扔得很高，然后再落回你的手上。只要这样扔两三下，刺猬以为自己悬空了，觉得很危险，就会自动把身体展开，站在你的手上了。

这种方法可以让刺猬迅速展开身体，但是大家见到野生刺猬最好不要这样做，因为野生的刺猬很脏，身上带着很多病菌，而且还有很多蜱（pí）虫（一种吸血的虫子）。你抓刺猬的话，那些病菌和蜱虫很可能会跑到你身上。所以大家平时看到野生刺猬时不要触摸它们。

刺猬这么可爱，我们能把它当宠物养吗？

野生的刺猬不适合作为宠物。前文中我说过它很脏，而

且特别爱吃虫子，每天晚上都要在野外跑来跑去，需要很大的活动空间。而且野生的刺猬很臭。我的爸爸妈妈在我特别小的时候，曾经在郊外抓到一只刺猬，放在家里养。他们把刺猬放在大纸箱里养了一两天，也不知道刺猬吃什么东西，就喂了点儿菜叶，刺猬不爱吃。养了几天之后，我们发现刺猬实在是太臭了，只好把它放生了。所以野生的刺猬大家还是不要碰。

但是有一种刺猬可以作为宠物，这种刺猬叫四趾刺猬。它的每只后脚只有四根脚趾，而一般的刺猬每只后脚有五根脚趾。

四趾刺猬

在宠物市场上四趾刺猬叫非洲刺猬，它原产于非洲。非洲刺猬经过很多代的培育，现在已经完全变成宠物了。现在市面上你能买到的非洲刺猬都是人工培育的，非常干净，只要喂食面包虫、肉末、瓜果蔬菜或者专用的刺猬粮就可以，很适合人类饲养。

我的自然观察笔记

小朋友，在动物园看到刺猬时请仔细观察，看看它的大小、形态，再看看它是怎么跑的。

观察完毕后，请在下方空白处把它画出来吧！

狮子和老虎打架，谁会赢？

我发现小朋友对两个问题特别感兴趣。第一个问题是：狮子和老虎打架，谁会赢？其实我小时候也有过这个疑问，但不知道该问谁。第二个问题是：狮子和老虎到底谁是百兽之王，谁是万兽之王？有的小朋友说老虎是百兽之王，狮子是万兽之王，还有的小朋友的看法正相反，为此争论个没完没了。曾经还有一位小学老师在网上向我求助，说他们班的小朋友为了这个问题都快打起来了，他也不知道答案是什么。现在我可以回答了。

狮子和老虎打架谁会赢？

我们知道世界上只有一种狮子，也只有一种老虎，但是狮子和老虎下边又分成很多亚种。亚种就是同一种动物，因为它们生长在不同的地区，所以经过漫长的进化，不同地方的老虎和狮子在形态上有一些小的差别。

狮子的亚种有很多种分法，有人把它分为 8 个亚种，有人把它分为 9 个亚种，甚至还有人把它分为 12 个亚种。不过，我们只要知道狮子按地域可以分成非洲狮和亚洲狮就行了。其实亚洲本来也有很多狮子，主要分布在现在的伊朗、伊拉克等中东地区，但现在那里的狮子几乎都消失了，只有印度一个很小的吉尔自然保护区还生活着一些亚洲狮。而非洲的狮子也有很多亚种，而且长得都不太一样，大小、凶猛程度也不同。

所以狮子跟老虎打架，不是随便挑一只狮子就可以，还得看它的亚种；老虎也是，虽然都是老虎，但老虎也分很多亚种，比如孟加拉虎、华南虎、东北虎、苏门答腊虎等。

如果从狮子和老虎里分别挑出最大的那只互相比拼，老虎是占优势的。世界上最大的老虎是东北虎，同时东北虎也是目前世界上最大的猫科动物。也就是说，东北虎比狮子还要大，还要强壮。

我们都知道，人类的拳击、搏击比赛是分重量级的。因为个体越大，身体越重，他身上的肌肉力量就越大，自然就更容易打败体重轻的人。而体重轻的人，即使功夫再强，当他面对一个像山一样强壮的对手时，也未必能打得过。可能你打他十下，他也没事儿，而他打你一拳，你就受伤了。所以人类的拳击和搏击比赛，一定是同等重量级的选手在一起打。

同理，如果让最大的狮子和最大的老虎打架，那么老虎的胜算更大，因为老虎更重，体型更大。老虎还有一个优势：老虎是独居动物，平时捕猎全都由它自己摆平，所以更擅长单打独斗。而狮子捕猎时是一群狮子一起上，所以单个儿的狮子和单个儿的老虎打架，狮子的经验应该不如老虎。当然，也有另一种情况：如果一头体型特别小的老虎和一头特别强壮的狮子打架，狮子很有可能把老虎打败。

非洲狮

以上两种情况都是狮子跟老虎打架，到底算谁赢呢？所以小朋友思考这个问题的时候，一定要把这些情况都想清楚。因为狮子和老虎是两个非常大的家族，不是所有个体全都一模一样。

这个问题要成立的话，需要有各种各样的条件限制，可这么限制的话，反而让这个问题没有意义了，就变成两个单独的个体打斗，而不能代表它们各自的群体。所以“狮子和老虎打架谁会赢”这个问题是非常不严谨、不科学的。

狮子和老虎，谁是百兽之王，谁是万兽之王？

其实这个问题更不严谨。首先“百兽之王”“万兽之王”只是修辞手法，是童话故事里对它们的称呼，纯属文学性的说法。科学家们可从来没有评选过谁是万兽之王，谁是百兽

东北虎

之王。现实生活中，老虎或者狮子一出现，动物们并不会向它们下跪、磕头，或者全都跑掉，不敢惹它们，只有它们所捕食的猎物看到它们才会跑。比如狮子接近一群羚羊时，羚羊会跑，但是周围的昆虫、鸟等狮子不吃的动物知道不会被吃掉，所以看见狮子也不会躲。这算万兽之王吗？狮子和老虎都只是对某些动物有威胁，不是对所有动物都有威胁。

狮子这么厉害，它有敌人吗？

狮子有害怕的动物。比如狮子不敢招惹成年的象，它顶多能够制服小象。不光大象，成年的犀牛、河马，狮子也不敢招惹。甚至连蚊子，狮子也拿它没有办法。你看过关于狮子的纪录片吗？狮子趴在树荫下休息的时候，很多蚊子在它面前来回飞，还叮咬它的脸，狮子却一点儿办法都没有，只能不停地眨眼或者使劲摇头。

狮子和老虎只是自然界里两个普通的成员，它们确实比较厉害，但不是比所有野兽都厉害，它们只是某一个地区的顶级捕食者。以老虎为例：兔子吃草，在食物链上兔子比草高一级；狐狸吃兔子，在食物链上狐狸又比兔子高一级；老虎吃狐狸，在食物链上老虎又比狐狸高一级。那么，在老虎生活的这片区域，只要没有人类，那就没有动物能够吃得了老虎，所以它就成了这条食物链的顶级捕食者。狮子的情况也是一样。狮子和老虎并不是所有动物的领导或者王者。我们自然不能用“百兽之王”“万兽之王”称呼它们。

我的自然观察笔记

小朋友，通过阅读本节内容，你更喜欢老虎，还是更喜欢狮子呢？请在下方空白处简单叙述一下理由吧！

我喜欢的是

狗和狼是一个物种吗?

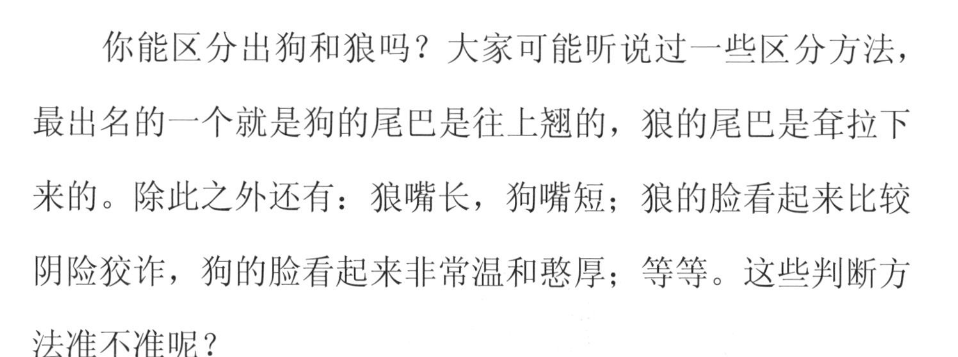

你能区分出狗和狼吗？大家可能听说过一些区分方法，最出名的一个就是狗的尾巴是往上翘的，狼的尾巴是耷拉下来的。除此之外还有：狼嘴长，狗嘴短；狼的脸看起来比较阴险狡诈，狗的脸看起来非常温和憨厚；等等。这些判断方法准不准呢？

之所以要用这些细节特征来辨别狗和狼，是因为它们长得非常像。

狗和狼为什么长得这么像，它们有什么关系？

其实狗就是狼驯化而来的，而且是由中国地区的人驯化的。之所以说中国地区，不说中国人，是因为当初驯化狼的时候，“中国人”这个概念还没有出现。大约 1.5 万年前，那时还没有炎帝、黄帝，人类还处于原始人阶段。在现今中国的这片地区，原始人已经把狼驯化成了狗。

据科学家推测，可能是当时这些原始人的村落附近经常有人吃剩下的骨头之类的东西，这些东西吸引来狼群，它们吃人类丢弃的残羹剩饭。人类把性情凶残的狼赶走，留下性情温顺的狼养着玩儿或者让它们看家、打猎。被人类收养的狼会下小崽儿，这样一代又一代地繁育，这些狼慢慢地就变成狗了。

狼

人类长时间的培育，让这些被驯化的狼和野生的狼有那么一点儿不一样了，但是又没有到完全变成另一种动物的程度，所以现在的科学家认为狗是狼的亚种。如果野外的狼碰到家养的狗，它们可以交配，生下小崽儿，并且小崽儿还可以继续繁殖新的小崽儿。这就说明狗和狼本来就是同一个物种，它们之间没有生殖隔离。

什么是生殖隔离呢?

如果两个物种交配之后无法孕育后代，或者根本不能交配，又或者孕育的后代没有生育能力（即它的后代无法孕育下一代），这就是生殖隔离，说明两个物种之间关系很远。

如果没有生殖隔离，就说明两者关系特别近，基本上只有同一物种之间才没有生殖隔离。所以，狗就是狼，它是狼的一个亚种。

狗作为狼的一个亚种，它的品种特别多。“品种”这个词只用于人培育出来的种类，野生动物不能用品种。狗里面的哈士奇、京巴、博美等都是品种的名称。而野生动物我们只能用“种类”来表示。经常有人抓到一只蜻蜓或蝴蝶，问我这是什么品种，这么问是不对的。因为它们都是野生的，人类没有选育过它们。你应该问这只蜻蜓或蝴蝶是什么种类。只有鸡、鸭、鹅和狗等人类进行过繁育的动物才论品种。

哈士奇

不同品种的狗
吉娃娃
博美

京巴
泰迪

不同品种的狗和狼的差别有大有小。比如京巴，它的鼻子短，身体又胖，个儿小，毛又长，和狼的差别很大。我们一眼就能看出这些差别。

再如农村的大黄狗，它和狼的差别就小一点儿，可能只是毛色和尾巴不一样。大黄狗的尾巴是翘起来的，但是体态、轮廓和狼比较像。

还有我们俗称的狼狗，一般指的是德国牧羊犬，它是警犬经常使用的一个品种，后背是黑的，因此也叫德国黑背。这种狗长得很像狼，比家养的狗更像。它的尾巴经常是耷拉下来的，所以仅根据尾巴是不能把它和狼区分开的，只能根据毛色，还有头和四肢的比例、形状来区分。

还有比德国牧羊犬更像狼的狗，比如捷克狼犬，它和狼

德国黑背

长得几乎一模一样，毛色也像，尾巴也是耷拉下来的，眼角向上吊，眼神十分凶狠，和狗耷拉着眼角很老实的样子完全不同。所以常用的辨别方法在捷克狼犬身上都不好用，只有特别有经验的人或者饲养的人才知道，它是狗，不是狼。

可能有的小朋友觉得这很不可思议，狼狗和狼是亲戚还比较好理解，但大灰狼和吉娃娃犬、博美犬长相差别这么大，它们怎么可能是同一种动物呢？

其实要形成这么大的差别，并不需要改变很多基因，只要改变一两个基因就可以了。以人类为例，尽管不同肤色的人长相差异明显，但世界上现存的所有人都属于智人，而且人类的基因差别很小，达不到亚种的程度。

虽然狗经过人类几万年的驯化，性格已经非常温顺，但它们身体里还存在着狼的野性。现在城市里经常有流浪狗，如果是单独的流浪狗，对人还不会造成很大威胁；如果几只流浪狗组成一个群体，那就非常可怕了。我上大学的时候，在校园里有几只流浪狗，它们可能是京巴与泰迪或博美杂交的，身上的毛都是卷曲的，个子也很小，看上去没有杀伤力。但是它们慢慢地形成了一个群体，经常追赶校园里的流浪猫，追得流浪猫都爬树上去了。这些狗休息的时候也都聚在一起，慢慢地野性越来越强，后来它们开始攻击人，学校的保安就把它们抓走了。所以，狗聚成一群时容易释放出其祖先——狼的野性，这是非常危险的。如果你的家里养狗，不要遗弃它；如果你在外面碰到一群流浪狗，尽量远离它们。

我的自然观察笔记

小朋友，你喜欢狗吗？喜欢什么品种的狗呢？请在下方空白处将它画出来吧！

最会交朋友的“大老鼠”！

这两年有一种动物在网络上突然火了，它叫水豚，长得像一只大号的老鼠，又有点儿像身上披着棕色毛的小河马，眼睛总是半睁着。水豚在网络上流传得最多的图片，就是它半眯着眼睛晒太阳的样子。

在网络上流传的照片中，水豚对各种小动物都特别友好，小动物们可以趴在它身上睡觉，它也不生气。大家都觉得水豚很可爱，脾气特别好，那么它在自然界里也是这样的吗？

水豚到底是什么动物呢？

水豚是世界上最大的啮（niè）齿目动物。它的身长能达到 1.3 米，非常大。

啮齿目动物还包括老鼠、仓鼠、松鼠和河狸等，它们都有大板牙。有人说，水豚是世界上最大的老鼠，这种说法并不严谨。我们所说的老鼠属于啮齿目里的鼠科，但水豚属于水豚科。虽然也有一种分类方法是把水豚归为豚鼠科，但无论按哪种分类方法，水豚和老鼠都不是一个科的动物。因此，我们并不能说水豚是老鼠，我们只能说它是世界上最大的啮齿目动物。

水豚

水豚的“老家”在南美洲，而且在南美洲分布特别广，在南美洲三分之二的地方都能找到水豚。水豚，顾名思义，

“水”说的是它生活在水边，如沼泽、湖泊或河流等地方；“豚”在古汉语里是猪的意思，指的是它长得很像猪。

你仔细看它那张好像没睡醒的脸，它的耳朵、眼睛和鼻子都长在头的上半部分，它其实是为了适应水中生活才长成这样的。这样的话，水豚的身体潜在水下的时候只需将一点点脑袋露出水面，它的耳朵、眼睛和鼻子就都在水面上了，它就能听声音、看东西和呼吸了。

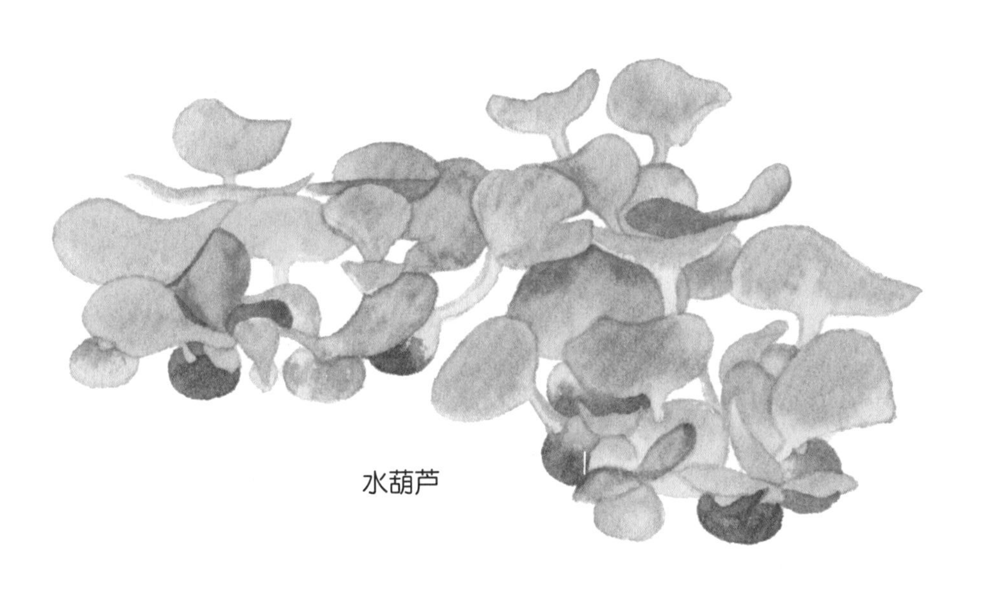

很多生活在水里的动物都长这副模样。仔细想一下，鳄鱼、青蛙和河马的耳朵、眼睛、鼻子是不是也全都长在脑袋的上边？这也是它们适应水生生活的结果。水豚的脸与河马的很像，所以水豚就有了一个外号，叫“南美的河马”（真正的河马生活在非洲）。

虽然水豚和老鼠都属于啮齿目，它们是远亲，但是水豚并不像老鼠那么令人讨厌。老鼠经常啃东西，去很脏的地方吃垃圾，还会传播病菌。水豚只吃植物，而且最爱吃水生植物。南美洲有什么水生植物呢？最常见的是一种叫水葫芦的植物。水葫芦是漂在水面上的，根直接泡在水里，不需要土壤。水葫芦繁殖非常快，甚至能阻塞河道。它现在已经入侵到中国南方了，南方的很多河面、湖面都长满了水葫芦。水葫芦需要定期清理，否则整个水面都会被它们占领。

在南美洲，水豚很喜欢泡在水里吃水葫芦，也正因为有水豚之类的动物来控制水葫芦的规模，南美洲的水葫芦才没有泛滥。水葫芦来到中国之后，中国的野外环境中没有水豚，

水豚和凯门鳄

也没有其他动物愿意吃水葫芦，于是它们就大量繁殖，成了入侵生物。

水豚的脾气为什么那么好呢？

第一，水豚是食草动物，它不会捕食其他动物。

第二，水豚是最大的啮齿目动物，能威胁到它安全的动物较少。如果它像老鼠那么小，很多动物都可以把它抓住并吃掉，自然，它就会很警惕其他动物。但是它的体型和猪差不多大，能吃它的动物就很少了。因此，水豚可以非常从容地生活。

南美洲的大型猛兽很少，只有几种大猛兽可以威胁到水豚。一种是凯门鳄，那是一种体型不大的南美洲鳄鱼。凯门鳄会捕食水豚的幼崽，但是水豚幼崽长大后，凯门鳄就拿它们没有办法了。

水蚺（rán）也能捕食水豚。水蚺是一种非常长的大蛇，可以游泳，它会缠绕在水豚身上，使劲把水豚勒死，然后再

吃掉水豚。

捕食水豚的还有美洲虎，也叫美洲豹，它是热带雨林里一种非常凶猛的野兽。除此之外，基本上其他动物都吃不了水豚。所以在自然界，水豚的天敌比较少，它可以比较从容地生活。

美洲虎（美洲豹）

就算水豚遇到了天敌，也不会和天敌搏斗，它一发现危险，就会一心一意地逃跑，立刻找到最近的河、湖，钻进水里，然后迅速把整个身体都潜到水下边，躲在水底，直到天敌走远。

第三，水豚的性格本身就很好，这是天生的。有的食草动物天敌也少，但是脾气就很大。比如非洲水牛，连狮子都害怕它。这只能说是每种动物选择的策略不一样。水豚在南美洲还会到养牛场和牛一起吃草，看上去是一幅和睦、温馨的画面。

另外，网上广泛流传的那些水豚和各种小动物在一起的画面，很多来自动物园。动物园里经常把水豚和其他小动物混养，有的动物园就会特意放一些好奇心强的小动物与水豚一起生活，比如南美洲的小猴子。小猴子可能会调皮地逗逗水豚，或者摸摸水豚的毛。这样的互动场景，游客看起来也有意思，对水豚和小猴子也没有伤害。

这些场景被拍下来之后传到网上，大家就以为水豚在野

水豚和小鸟

外也是如此受小动物欢迎。其实在野外，小动物们不会没事就找水豚，找到了就在它身上撒娇，顶多就是有些小鸟落在它背上，或者一只凯门鳄趴在水豚旁边一起晒太阳，大概凯门鳄知道自己对付不了水豚，水豚也知道凯门鳄伤害不了它，所以它们能和平地趴在一起。

而且，日本人特别喜欢可爱的东西，他们发现水豚的形象值得宣传开发，就开始追捧水豚了。

日本人把水豚设计成各种可爱的形象，开发了一系列文创产品。日本的动物园也引进了水豚，借机宣传来吸引游客，这样就把水豚打造成了一个明星物种。日本的这些水豚动漫形象，以及动物园里的水豚照片流传到中国，也让中国人对它产生了兴趣。中国有些动物园已经引进了水豚，如北京动物园、天津动物园，大家如果感兴趣的话，可以去这些动物园看一看。

小朋友，如果你在动物园看见水豚，请仔细观察，看看它到底有多大，是不是真的很友好。如果动物园允许拍照的话，就为它拍几张照片，贴在下方空白处吧！

为什么不能投喂动物园里的动物？

小时候，我最爱去动物园。在我一岁多的时候，我爸爸第一次带我去动物园。看到各种各样的动物，我特别高兴。我爸爸说我眼睛直放光，从来没那么兴奋过。后来我又去了很多次北京动物园，发现大家去动物园时都有一个不好的习惯——投喂动物，而且怎么喂、喂什么的都有！

北京动物园有一个水禽湖，湖里散养了很多水鸟，比如鸭子、鹈鹕（tí hú）、丹顶鹤、天鹅等。很多人特意从家里带了面包，把面包撕碎，喂湖中这些水鸟。还有人直接把在动物园里买的零食扔在水上喂水鸟。

到了养熊的熊山，投喂的人就更多了。北京动物园的熊山其实是在平地上挖出来的一个大水泥坑，熊在坑底下往上看游客，冲游客不停地作揖。游客一看熊还会作揖，以为它们是向自己讨吃的，于是就往下扔食物。

我小时候也这样做过。当时学校组织去动物园春游，老师把我们分成了几组，一组大概三四名同学，大家一起行动。我被委任为小组负责人，结果我只顾着吃蛋糕、看熊，时不

北京动物园的水禽湖

时扔点儿蛋糕给熊吃，完全忘记了同组的同学。后来老师叫我：“张辰亮，你是负责人，怎么自己跑去玩了，你的同学呢？”我听到老师的喊声，一着急，就把剩下的蛋糕都扔到熊山里，跑开了。

食草动物区有各种盘羊、羚羊等动物。在我小时候，这些动物的展示区域就是一大片空场地，场地边沿用铁丝网隔开，很多羊站在铁丝网里吃游客塞进去的各种叶子。有人从家里带来一些白菜叶喂它们，我没有特意带东西，就捡了旁边杨树上掉下来的树叶塞进去，羊也吃得津津有味。我小时候做过很多次这种事，相信有不少小朋友也投喂过动物园里的动物。

长大后，我学习了相关的知识，也认识了一些在动物园工作的朋友，才知道这种投喂行为非常不好。

为什么投喂动物园里的动物是不好的行为呢?

如果你了解动物园饲养员的工作，就知道原因了。我认识一位北京动物园的饲养员，他会根据不同动物的习性，搭配出非常科学、营养的食物。他们用的蔬菜、水果非常干净，甚至有一些蔬菜是在动物园的菜地种的，没有农药。饲养员喂给动物的食物都是按照科学的饮食配比搭配好了的，不是食堂的剩菜、剩饭。

虽然这些食物搭配得很好，但是动物们都不爱吃，它们更爱吃游客给的那些东西。为什么呢？因为游客给的东西咸的甜的都有，比那些营养餐好吃多了。

如果游客给的食物都富有营养，那对动物来说问题也不大，然而游客给的很多东西都属于垃圾食品。一般动物不适合吃人类的食物，吃多了会生病。而且很多动物还会把人扔在笼子里的塑料袋吃下去。各地动物园都发生过这种事，比如鸵鸟把扔进笼子里的食品包装袋吃了下去，结果包装袋把它的胃填满了，最后导致鸵鸟死亡。

很多动物园都有禁止投喂的警示牌，但是这些牌子并没有起到作用，很多游客去动物园就是为了享受投喂动物的乐趣。

金丝猴

这种想法和行为还真不是一朝一夕能改过来的。

为了减少投喂行为，动物园会让饲养员劝游客，导致部分游客与饲养员发生争吵。后来，一些动物园只好加强措施，将动物与游客隔离开。比如北京动物园把动物的笼舍改成玻璃的，防止游客投喂。但四周全是玻璃的话，动物在里边会闷，动物园就在靠近地面的位置做了一排金属墙，墙上有很小的通风孔。结果有的游客竟然想出一个办法：带一袋挂面去动物园，把挂面从通风孔里一根根地塞进去喂动物。

还有的猴类笼舍顶层是用铁丝网隔离的，这样更透气，适合猴子生活。结果有些游客一看上面是铁丝网，就把各种食物往铁丝网上扔。

不投喂动物就没有乐趣吗？

地松鼠

当然不是这样。去年，我参观了瑞士的伯尔尼国立动物园。当时我特别注意观察，想看看瑞士人是怎样逛动物园的。结果发现，没有一个人投喂动物。伯尔尼国立动物园里有欧洲地松鼠，地松鼠像松鼠一样，但它是在地面生活的，有点儿像迷你的土拨鼠。但因为它体型特别小，所以它生活区域的墙很矮，只到人的胸口，上边没有任何遮挡。如果人们想投喂，可以很轻松地把食物扔进去，但是没有一个人这么做。大家都在观察这些地松鼠，了解它们是怎样挖洞的，怎样互相交流的。

另外我还去了一个养北极狐的地方，那里只用最简单的铁丝网将人与北极狐隔离开，跟北京动物园几十年前一样，往里面塞东西很方便，但是没有一个人那样做。我们还被园方允许进入北极狐的笼子，亲手将饲养员调配好的食物喂给北极狐。

北极狐喜欢吃什么呢？它们喜欢吃鸡蛋、小鱼，还有刚孵出壳的小鸡。这些小鸡是冷冻的，拿出来解冻后就可以喂给北极狐。我们用镊子夹起食物喂食，它们就会过来将食物叼走。工作人员还会把一些鸡蛋塞到石头缝里，让北极狐想办法从石头缝里把鸡蛋抠出来，没有那么容易吃到食物。这样给北极狐一些挑战和乐趣，让它们不那么无聊。动物如果在笼子里无所事事，太无聊的话，精神上会生病的。

北极狐

伯尔尼国立动物园里的动物喜欢吃饲养员给它们的食物，并且能在进食过程中获得健康的训练。这也是因为没有游客投喂它们。其实，把精力用在观察动物上，比投喂动物更有收获。从瑞士回来之后，我一方面觉得自己小时候做得非常不对，一方面也特别想告诉小朋友，以后再去动物园，哪怕看到其他人在投喂动物，你也不要投喂。

另外，不去投喂动物，它们还会展示出更多有意思的行为。比如狗熊，其实动物园给它设置了很多有意思的玩具，像梯子、轮胎做的秋千。如果游客都投喂动物，动物就只会坐在那儿等人扔东西吃，不会去玩耍，你就看不到动物有意思的行为。所以你不如看看动物是怎样玩耍的，有什么样的行为，这样多有意思啊！

长颈鹿

希望每个人都能从自身做起，不投喂动物。如果你实在喜欢喂动物，可以参加动物园开设的一些项目，比如可以花钱买一些专用的树叶喂长颈鹿，这些树叶是包含在长颈鹿每天的科学食谱内的。这样的投喂对动物是有好处的。另外，很多动物园的小动物区养了一些小猫、小狗、小兔子和小山羊等家养的宠物，这些动物可以投喂，你也可以和它们亲密接触，去摸一摸、抱一抱它们。希望每个人都能做文明的动物园游客！

小兔子

我的自然观察笔记

小朋友，通过阅读本节内容，相信你已经知道随意投喂动物是一种不好的行为，但仍然有很多人不能理解。请小朋友做一张简单的图文海报，呼吁人们不要随意投喂动物吧！

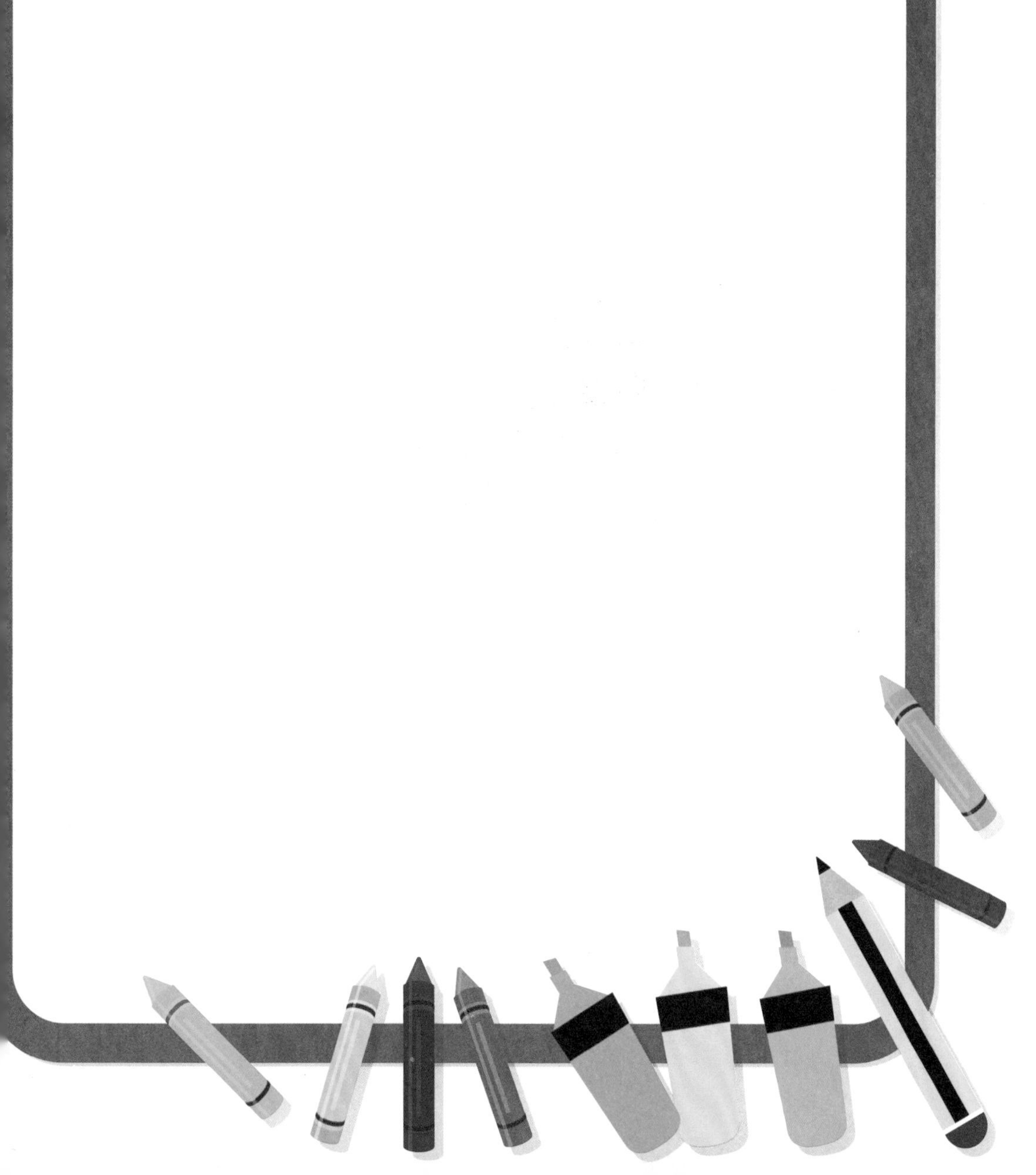

穿山甲真的能穿山吗？

很多大朋友可能是从动画片《葫芦兄弟》里知道穿山甲的。我不知道现在的小朋友还看不看这部动画片，我小时候也是通过它知道穿山甲的。穿山甲身上长满鳞片，它的嘴里没有牙，只有一根长舌头，爱吃蚂蚁和白蚁。它的爪子特别尖、特别硬，传说它能把山挖穿，所以叫它穿山甲。

穿山甲怎么吃蚂蚁呢？

有人说穿山甲会趴在一个大的蚂蚁窝旁边，把身上的鳞片全都张开，散发出一股臭味。蚂蚁闻见臭味，以为穿山甲死了，就想赶紧把穿山甲的肉搬回窝里，所以蚂蚁都爬出来，钻到穿山甲的鳞片之间。穿山甲感觉身上的蚂蚁够多了，就一下子合上鳞片，把蚂蚁全都夹在鳞片里，然后跑到小河边，钻进水里，再把鳞片张开，这些蚂蚁就会漂在水面上；穿山甲伸出自己的长舌头，把漂在水面上的蚂蚁一口一口地舔干净。其实，穿山甲吃蚂蚁不用这么麻烦，它吃蚂蚁的方法很简单，先用爪子破坏蚁窝，等蚂蚁全都跑出来之后，直接用舌头舔着吃。

穿山甲

穿山甲能把山挖穿吗？

答案是不能。虽然穿山甲两只前腿上有非常锋利的爪子，但是它的爪子只是用来挖蚁窝、挖土的，挖不了坚硬的石头，更挖不动山。

虽然穿山甲能穿山的传说是假的，但是穿山甲有很多连传说都想象不出来的、非常有意思的知识。

穿山甲到底是怎样的一种动物呢？

穿山甲身上都是鳞片，看上去很像一只大蜥蜴，但是穿山甲和猫、狗一样是哺乳动物。哺乳动物身上长鳞片的非常少。在生物学上，穿山甲属于鳞甲目，这个家族里的动物只有穿

山甲，没有其他的亲戚。所以这是一个非常独特的哺乳动物家族。

以前，人们认为穿山甲的样子有点儿像南美洲的食蚁兽，就把它和食蚁兽归为一个家族。后来人们发现穿山甲和食蚁兽没有关系，它们只是长得很像。因为它们都喜欢吃蚂蚁、白蚁，就不约而同地演化成相似的样子。在生物学上，我们称这种现象为趋同进化。趋同进化就是两个完全没有亲缘关系的物种，由于习性相同或者生活环境相同，不约而同地在外形上呈现

食蚁兽

出相似性。后来有人认识到这一点，就把穿山甲和食蚁兽分开，为穿山甲单独成立了一个目——鳞甲目。

在中国可以看到两种穿山甲，一种是中国穿山甲，一种是印度穿山甲。印度穿山甲非常少，只在云南的边境和外国交界的地方出现过几次。但是中国穿山甲曾经分布非常广，从河南一直往南，在江苏、浙江、四川、福建、广东、广西、海南、台湾等地全都发现过中国穿山甲。

中国穿山甲有一个很有趣的行为，就是穿山甲妈妈在走路的时候，穿山甲宝宝会抱着妈妈的尾巴。妈妈无论走到哪儿，小宝宝都抱着妈妈的尾巴一动不动，不会掉下来。即使穿山甲妈妈爬树，小宝宝也是紧紧抱着，看上去非常可爱。

另外，穿山甲爬树的能力非常强，因为很多蚂蚁、白蚁都在树上，所以它经常需要上树。这个时候它的大爪子又能发挥另一个作用——上树。

有一次，中国的警察解救了一只穿山甲，暂时把它放在派出所。这只穿山甲在陌生环境里有点儿害怕，就直接用两

只大爪子抱着派出所的门框，爬到门框顶上去了。它竟然可以爬上光溜溜的门框，说明它的攀爬能力非常强。

除了中国有穿山甲，东南亚、印度和非洲也有穿山甲。非洲的穿山甲比中国的体型更大，更有趣。

大穿山甲

有一种非洲的大穿山甲可以用两条后腿走路，相当于直立行走，但是它站得并不像人类那样直，是驼背走的。不细看，会以为它是用四条腿走的，但是仔细观察，会发现原来它的两条前腿离地面有几厘米，有点儿像霸王龙走路的样子。现在会这么走路的动物不多，非常独特。还有一些非洲穿山甲的尾巴特别长，比中国穿山甲的长很多。在树上的时候，这种非洲穿山甲可以用尾巴卷住树枝，让自己的身体倒挂下来，就这样睡觉或者整理身体。

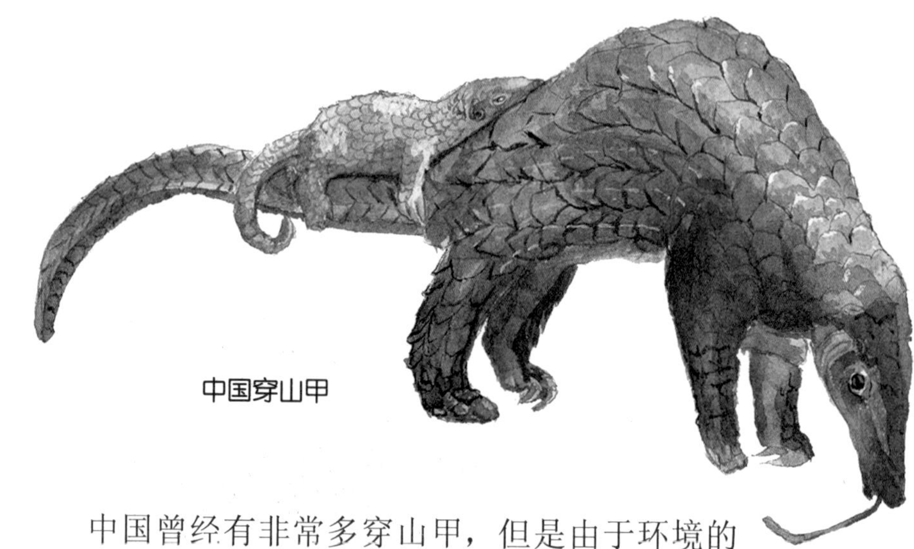

中国穿山甲

中国曾经有非常多穿山甲，但是由于环境的破坏和人类的捕杀，现在穿山甲已经非常少了。

以前，在江苏、浙江等地曾经生活着非常多穿山甲，但现在很难看到了。2007 年，南京的报纸上报道：在南京紫金山的中山植物园发现了一只穿山甲。我认为这可能是植物园经常要运一些外地的植物到南京，穿山甲跟随这些植物来了，不一定是南京本地的穿山甲。因为紫金山的环境也曾受到非常严重的破坏，清朝末年、抗日战争时期这里都是战场，这里的树基本上全都被破坏了。现在紫金山的树都是后来才种植的，没有适合穿山甲生活的条件。

为什么现在穿山甲变得这么少呢？

人类的捕杀是导致穿山甲变少的最重要的原因。人类捕杀穿山甲，有两个原因：一是因为穿山甲身上的鳞片可以入药，二是因为人们认为穿山甲的肉是野味，对人体有很好的滋补功效。这其实都没有任何根据。

每年我们的边防部队、海关都会查获大量穿山甲的尸体和鳞片，甚至连非洲的穿山甲也因为中国人的需求而被大量捕杀，到现在也快灭绝了。有的商家会谎称自己卖的穿山甲不是从野外抓的，是人工养殖的。目前全世界只有中国台湾的台北动物园成功繁育了穿山甲，但并不能大量繁育，只是繁育出了几只，这已经是非常了不起的成就了。中国大陆的穿山甲养殖场都是骗人的，他们假装建了一个养殖场，里边的穿山甲还是从野外抓来的。

目前，只有台湾才有真正的穿山甲人工繁育技术，但并没有应用到市场上。台湾是中国保护穿山甲最好的一个地区。有时候在台湾的山里可以见到野生的穿山甲。在我读书的时候，我们实验室要去全国各地采集昆虫标本，其中我的几个师弟、师妹去了台湾。夜晚他们走山路时，遇到了一只穿山甲。这说明当地有不少穿山甲。所以希望大家从自己做起，不吃穿山甲，不滥用穿山甲鳞片。如果每个人都这样做的话，世界上的穿山甲就能得救了。

小朋友，如果在动物园里看到穿山甲，请仔细观察，看看它的鳞片长什么样，再看看小穿山甲是不是真的会抱着妈妈的尾巴。如果看到了这样可爱的画面，试着在下方空白处将小穿山甲和它的妈妈都画出来吧！

为什么长臂猿越来越少了?

先给大家讲一个真实的故事。2004 年考古学家在我国陕西西安发现了一座古墓。这座墓里埋葬的是秦始皇的祖母。墓中发现了一些宝贝，还发现了一些动物骨头。其中有一个头骨，长得跟人的头骨很像，但是两个犬齿特别长，看上去就像一个小妖怪。这个头骨到底是什么动物的呢？

2018 年，中国和英国的科学家经过多年联合研究，终于有了结果：这是一种长臂猿的头骨，但是它与现在所有的长臂猿的头骨都不一样。科学家就把它列为一个新种，叫作“帝国君子长臂猿”。这个发现当时轰动了全国，因为谁也没想到，在秦始皇祖母的墓里竟然会发现一个新种类的长臂猿。这件事听起来就非常有意思。

长臂猿生活在哪里？

有人会问，长臂猿现在都生活在广西、云南、海南等南方地区，为什么西安的墓里会出现长臂猿的头骨呢？难道是从广西、海南等地运到西安的吗？其实不是。长臂猿曾经在

长臂猿

中国分布非常广，从南到北，从西到东，都有长臂猿生活，陕西曾经也有。这个墓中的长臂猿应该是人们在附近的秦岭抓到的。这也说明当时陕西的自然环境非常好，有很多森林。因为长臂猿主要生活在树上，很少下地，非常依赖原始森林。此外，在墓中能发现长臂猿，很可能是因为古代人对长臂猿非常喜爱，甚至会把它们当宠物养。这只长臂猿可能就是秦始皇祖母养的宠物。

中国古人认为长臂猿是一种非常高贵的动物，它跟猴子不一样，中国人形容猴子的词语是“尖嘴猴腮”“沐猴而冠”“山中无老虎，猴子称大王”等等，猴子几乎只有到处捣乱或愚蠢不堪的负面形象，但是长臂猿就不一样了。

长臂猿有几个特点。

第一，长臂猿的嘴里没有颊囊。中国的猕猴嘴里有颊囊，颊囊就是它们嘴里的口袋，它们可以把食物塞到这个口袋里保存着，什么时候想吃再吐出来吃。所以它们吃东西的时候都是狼吞虎咽的，不是要把这些东西全都咽到肚子里，而是先塞到颊囊存着。但是长臂猿没有颊囊，它吃东西慢条斯理的，非常优雅。

第二，长臂猿的鸣叫声很特别。长臂猿经常在森林里鸣叫，声音非常好听，不像猴子那样叽叽喳喳。长臂猿的鸣叫声悠远、婉转，在山谷里显得有一点儿悲伤。南北朝时期三峡一带的渔民常唱一首民歌：“巴东三峡巫峡长，猿鸣三声泪沾裳。”意思是长臂猿鸣叫的声音能令人眼泪满衣裳。如果你没有听过，你可以听一听纪录片《美丽中国》里的黑冠长臂猿的叫声，它们的叫声在山谷里回荡，悠远、绵长，比猴子的叫声好听多了，像唱歌一样。这也是长臂猿和猴子相比显得更高贵的一个原因。

第三，长臂猿比较温和，比猴子更通人性，有的时候人甚至可以跟它们成为朋友。

另外，长臂猿的两个胳膊特别长，可以在树枝上荡来荡去，在林间自由穿梭。这个动作非常矫健、灵活，比体操运动员还要敏捷，带着灵气，完全不像猴子总是毛毛躁躁的。有人观察过，如果桌子上放着花瓶、水杯，长臂猿可以在桌上蹿来蹿去，而不会把桌上的花瓶、水杯碰倒。

古人看长臂猿的胳膊这么灵巧，就产生了一个误解，认为长臂猿胳膊之所以这么长，是因为它是“通臂”的，所以长臂猿也叫通臂猿。

什么叫通臂？就是两只胳膊是相通的，古人认为如果长臂猿想伸长右边的胳膊去够树枝的话，那么左边的胳膊就会缩短，把长度补到右胳膊上，右胳膊就会变得像两只胳膊那样长。等它换左边胳膊去抓下一根树枝的时候，右胳膊又会缩回去，补到左胳膊上去。这两只胳膊能随意伸长、缩短。

这当然是一个错误的认识，是古人观察不细致造成的。

但是因为以上这几个特点，中国人认为长臂猿是猿猴里的君子，对它非常崇敬。秦始皇祖母墓里发现的长臂猿，被科学家命名为“帝国君子长臂猿”，取的就是这个意思：它是大秦帝国的君子。

除了前文中的“巴东三峡巫峡长，猿鸣三声泪沾裳”，还有两句诗大家应该也听过，就是大诗人李白的“两岸猿声啼不住，轻舟已过万重山”。这些诗句写的都是长臂猿在长江两岸鸣叫的情景。这说明在唐朝时长江附近仍有相当多的长臂猿。不过，到了清朝时，长臂猿就已经从长江两岸消失了，主要原因就是当时人口剧增，大量砍伐森林导致长臂猿失去了合适的栖身地。

以前，长臂猿在中国分布很广，而且种类很多，但是现在只剩极少的几个地方有长臂猿了。2017 年，动物学家在中国发现了一个新种长臂猿，命名为“天行长臂猿”。天行长臂猿在野外存在很久了，但原先人们一直以为它和另一种长

正在啼叫的白颊长臂猿

臂猿属于同一种。直到2017年它被列为新种的时候，动物学家才发现，它们的数量已经非常少了。

天行长臂猿

前人还留下了哪些关于长臂猿的记录？

从古人的记载里，我们还能发现一些今天看不到的长臂猿。中国古代文人认为长臂猿与鹤一样高雅，经常把它们画到画里。北宋时期有位湖南画家叫易元吉，非常擅长画长臂猿，他画中的长臂猿除了脸外边有一圈白，其他地方全都是黑的。这个特征跟现在所有的长臂猿都不一样，所以动物学家认为这种长臂猿可能也已经灭绝了。

近代知名汉学家（即研究中国文化的外国人）高罗佩非

常了解中国文化，他了解中国古代文人对长臂猿的崇敬和喜爱，于是他在亚洲居住的时候，就养了几只长臂猿宝宝，还写了一本《长臂猿考》。他观察长臂猿时发现长臂猿非常聪明。比如长臂猿能分清这个家庭里谁是主人，谁是仆人，谁的地位高，谁的地位低。如果家里爸爸说了算，它就会去巴结爸爸，不愿意理小孩子。有一次有几位军人来他家做客，其中有一位是军官，另外几位都是普通士兵。结果长臂猿就直奔这位军官，朝军官撒娇，不理那几位士兵。高罗佩非常惊讶："它竟然连军衔的高低都能看出来！"

另外，长臂猿还有点儿小心眼儿。高罗佩在家里逗自己养的小狗，如果被长臂猿看到了，它就会在边上嫉妒地大叫，表示抗议。

不过，高罗佩发现长臂猿虽然胳膊灵巧，但是它的手指并不灵活。它的手指能钩住树枝，却做不了精细的动作，它用大拇指和食指连个花生都捡不起来。高罗佩曾经做过这样一个实验：把长臂猿两只手的十个指头互相交叉，抱成拳，摆好之后，它想把两只手分开，都得费半天劲。

我讲这些知识是为了让大家了解长臂猿的一些习性，并不是让大家去养长臂猿。饲养长臂猿是违法的，网上有些不法分子会卖长臂猿宝宝，那都是用残忍的手段从野生的长臂猿妈妈手里抢过来的，所以大家不要养它。而且长臂猿小的时候对人比较友好，长大了之后就充满攻击力，高罗佩养的长臂猿也在长大之后开始攻击人，高罗佩不得不把它放回了大自然。

我的自然观察笔记

小朋友，如果想在动物园听到长臂猿的歌声，一定要早点儿去，因为它们喜欢早上唱歌。如果错过了，也可以通过观看纪录片《美丽中国》第二集，聆听它们的歌声。

听过之后，请在下方空白处写下自己的感受吧！

为什么猴子不能进化成人？

为什么现在的猴子没有进化成人类？这个问题是很多神创论者批判进化论时常常提到的。“达尔文不是说人是由猴子进化来的吗？为什么只有一部分猴子进化成了人，其他的到现在还是猴子，它们为什么不能进化成人呢？”他们用这个问题嘲讽进化论，其实就说明他们对进化论和动物的发展不够了解。

首先，我们要明确一点：人不是由现在的猴子进化来的。如果你去过动物园，看过猴山上的猴子以及黑猩猩、大猩猩，你应该知道它们都不是我们的祖先。

人、猩猩，还有猴子，在很久之前，拥有同一个祖先。

以一棵大树来打比方，假如大树就是灵长类动物，它的树干分出很多的树杈，其中几根枝条，变成了现在的猴子；还有一根大枝条，就是猿类，它长着长着，也分出了很多小枝条，有的是现在的黑猩猩，有的是现在的大猩猩，有的是现在的长臂猿，还有一个就是人。所以人只是这棵灵长类大树上很多小枝条中的一枝！

这棵树上的每根枝条都单独发展，而猴子选择了另外一条道路，所以并不是猴子进化到一定程度就必然会变成人。

黑猩猩

人类的出现是非常偶然的，不是必然的。与人类关系最近的动物亲戚是黑猩猩。人类与黑猩猩是在很晚的时候才分开变成两个家族的。最初，人类的祖先和黑猩猩的祖先共同生活在非洲的森林里，分开之后，黑猩猩继续留在了森林里；人类的祖先，也就是猿人，当时生活的地区正好遭遇了干旱，热带雨林越来越少，变成了大草原。人类祖先看到森林越来越小，为了生存，就尝试着到草原上生活，然后逐渐学会了直立行走。

猿人换了生活环境、开始直立行走之后，身体也发生了一些变异。比如猿人的手原本和现在黑猩猩的手一样，是不能紧握东西的，但变异发生后，猿人的大拇指位置变了，手变得更灵活、有力，所以他们可以抓紧东西、使用工具了。猿人试着抓住一块石头不停地击打另一块石头，就这样造出了简单的石器。发生这种变异的猿人又繁衍出了很多后代，从此，人类就进入了旧石器时代。

此外，猿人的脚也发生了变异。以前猿人的大脚趾和其他脚趾离得特别远，因为猿人之前在树上生活，这样的构造便于他们抓住树枝，所以脚和手长得差不多。但是后来发生的基因突变使一些猿人的大脚趾跟其他四个脚趾并在了一起。这本来算是一种畸形，如果是当年在树上生活的时代，这样的猿人是无法生存的，因为这样的脚抓不住树。但是这种畸形反而有助于猿人在草原上奔跑，所以凡是有这种变异的猿人都在草原上活了下来。

靠这样一个个的巧合，人类才慢慢演化成了现今的样子。

那些反对进化论的人说："为什么世界上只有人类这一种生物具有高级智慧呢？这说明人类是上帝创造的。如果人类是进化来的，那世界上应该有好几种与人类似的高级智慧生命才对。"其实，以前世界上的确出现了好几种高级智慧生命，人类的祖先曾经演化出好几个种类的人，比如直立人、尼安德特人。不同种类的人生活在世界各地，其中，北京猿人就是直立人。但是后来因为各种各样的原因，他们没能生存下来，都灭绝了。到现在全世界只剩下一种人——智人。

你也许不知道，就连智人也差点儿灭绝。据科学家研究，人类最大的一次灾难发生在大约7.4万年前：印度尼西亚的多巴火山喷发了，这次喷发非常剧烈，整座多巴火山都在喷发中坍塌，形成了一个大坑（现在那里变成了一个大湖）。火山灰进入大气层，挡住了阳光，这使地球气温骤降，十分寒冷。当时的智人没有保暖的衣服，哪里能抵抗这么大的灾难！据估计，世界上绝大多数的人都在这场大灾难中死亡，只剩下几千人。人类当时的处境十分危险，如果这几千人再遇上洪水或传染病，极有可能人类就灭绝了。这说明人类能繁衍到今天，发展出高度文明，是非常偶然的。

在人类进化史上，地球上一直有大大小小的灾难发生，有很多次都对地表生物造成了毁灭性打击，许多生物就在这些灾难中灭绝了。如果历史重新来一次的话，人类未必还能这么幸运。人类能活到现在，没有灭绝，很不容易。而且我们现在的便利、幸福生活，也只是工业革命之后两百多年的事，工业革命之前，每一次自然灾害或传染病就能夺去几万甚至几十万人的生命。

大猩猩

而人类不仅生存了下来，还发展出灿烂的文明，这是许多偶然的因素共同作用的结果，这么偶然的事情不可能发生第二次。即使猴子、猩猩又遇到了自然界的大变故，迫使它们直立行走，智力突飞猛进地发展，它们也许会进化成其他的样子，发展出别样的文明，但也不可能进化得跟人一模一样，自然也不能被称作“人”。

现在，你应该对进化论有了更清楚的认识。生物的演化像一棵大树一样，从树干不断分支，每一根枝条都有自己的发展道路，相互独立，每根枝条最后能发展成什么样子，谁也不知道，也没有标准。所以，今天的猴子没有进化成人，不仅符合进化论，而且非常正常。

我的自然观察笔记

小朋友，你能分清楚猴子和猩猩吗？在动物园碰到它们时请仔细观察，看看它们在外形和走路姿势等方面有什么不同。

观察完毕后，请在下方空白处将观察内容记录下来吧！

是熊猫还是猫熊？

大熊猫是中国的国宝，人人都喜欢它。去动物园的时候，小朋友都爱去看大熊猫。关于熊猫，很多人都有以下这些疑问。第一个疑问：大熊猫长得像熊，为什么不叫“大猫熊”？第二个疑问：网上有人说，台湾同胞称熊猫为“猫熊”，这是真的吗？第三个疑问：动物园里还能看到一种动物——小熊猫，它不是大熊猫的宝宝，而是另一种动物，大小跟猫一样，长得像浣熊，但身体是红色的，尾巴很长，为什么叫它小熊猫？

我小时候听过一个故事：1939 年 8 月 11 日，重庆北碚平民公园展出了一只大熊猫。由于它的脸有点儿像猫，但整

小熊猫

体还是一头熊，所以讲解牌上从左到右写着两个字“猫熊”。但当时是民国时期，虽然有人倡导像现在一样从左往右写字和阅读，但并不普及，很多游客还是按之前的习惯，从右往左读，于是就念成了“熊猫”，从此这个名字就叫开了。

这个故事是研究大熊猫的专家胡锦矗先生讲的，他在《关于大熊猫的中文名称》一文中写了这件事。我小时候只要看到关于熊猫的文章，总能看到胡锦矗先生的名字，或是他写的文章，或是报道他对熊猫的研究。他是研究熊猫的权威专家，所以这个故事流传得非常广。

在我国台湾还有一种说法，是夏元瑜提出的。他曾经是北京动物园的园长，后来去了台湾。他说熊猫本来叫猫熊，是因为报纸初次报道大熊猫的时候，编辑打错了，打成了“熊猫”，就一直错下去了。这个说法在台湾流传得很广。

但是这两个说法都有问题。胡锦矗说猫熊改叫熊猫是1939年的事，但我查找资料之后发现，1939年之前的出版物上就刊登了《世界最稀有的哺乳动物：大熊猫》。还有，20

世纪30年代的各种政府文件、学术文章里，几乎都称呼大熊猫为“白熊”，可以说白熊是当时大熊猫的正式名字。所以1939年那次在北碚平民公园展出的大熊猫，讲解牌上写的更有可能是“白熊”，而不是胡锦矗先生文章中写的“猫熊”。

我们再来看夏元瑜的说法，他说是因为报纸印错了。但是不可能所有报纸都印错，而且20世纪30年代的《辞海》里写的也是“熊猫”，这就不能用报纸印错了来解释。

这到底是怎么回事呢？有一些学者专门考证过这个问题，大概的经过应该是这样的：

1824年，法国动物学家乔治·居维叶研究了一种小动物，它的标本是从喜马拉雅山低处的森林里采集的，像一个红色的小浣熊，当地的尼泊尔人叫它“panda”，意思是“红色的猫”。

过了几十年，1869年，法国传教士戴维在中国发现了一种黑白色的大熊，给它起了一个拉丁文名字，翻译为“黑白熊”。1870年，法国动物学家米勒·爱德华兹认为这个动物不是熊，而是那种红色小浣熊“panda”的亲戚。为了区别，

动物园里的大熊猫

就把红色的小动物称为“little panda”，意思是小“panda”，黑白色的动物称为“giant panda”，意思是大“panda”。

小熊猫

这时候中国人怎么称呼它们呢？1915年出版的《中华大字典》中记载：“熊猫，兽名，似猫而善升木。”意思是熊猫长得像猫，善于爬树。字典中还附了一张红色小熊猫的图。由此可以推断，最晚在1915年中国人就已经开始称红色小“panda”为熊猫了；后来又出来一个黑白色的大“panda”，就自然称为大熊猫。由于大熊猫长得特别像熊，不像猫，所以又有了“猫熊”的别名。

在1935年之前，也有中国人使用“猫熊”来称呼红色小“panda”，比如1934年出版的《中国西部动物志》。所以从一开始，中国人对这两种动物的称呼就是混乱的，红色小“panda”既叫熊猫，又叫猫熊；黑白大“panda”就更乱了，

大熊猫、大猫熊、熊猫、猫熊、白熊，五个名字都用过。

但是我查阅民国时期的新闻报道和各种文件发现，20 世纪 30 年代对大“panda”的主流称呼是“白熊”，20 世纪 40 年代的主流称呼是“熊猫”，而“猫熊”一直是小众的称呼。

所以最开始的那三个疑问就有答案了。

第一个疑问，大熊猫明明长得像熊，为什么不叫“大猫熊”？答案是，也有叫“大猫熊”或者“猫熊”的，但不知为何，一直没有成为主流。而且“猫熊”和“熊猫”这两个名字哪个先出现，目前也没有定论。

第二个疑问，据说台湾同胞称熊猫为“猫熊”，这是真的吗？我特意问了我的台湾朋友，他又问了他的很多朋友，给我的反馈是，绝大多数台湾人都将大“panda”称为“熊猫”，从小就这么叫，很多人长大以后才知道还有“猫熊”这个叫法，所以，台湾跟大陆的叫法是一样的，而且台湾出版的《重编国语辞典》《新辞典》里，也只有“熊猫”词条，没有“猫熊”词条。“熊猫”是海峡两岸共同传承下来的习惯叫法。

第三个疑问，红色小“panda”为什么叫小熊猫？因为人们最早发现的是它，真正的“panda”和“熊猫”指的也是它。大“panda”是后来才被发现的，然而，大“panda”太著名了，直接被称为熊猫了，小熊猫反而丢失了本名，只能一直在名字前加个“小”字了。人们之前认为，大熊猫和小熊猫是亲戚，才产生了这种混乱。后来，科学家经过研究发现，大熊猫和小熊猫之间的关系很远，小熊猫跟浣熊关系比较近，但不属于浣熊科，而是小熊猫科；大熊猫则属于熊科。

大熊猫是熊科的，叫猫熊似乎更合理，但人们都习惯熊猫这个名字了，也就没有必要再改，以免增添混乱。

我的自然观察笔记

小朋友，熊猫是我国的国宝，长得圆滚滚的，憨态可掬，非常惹人喜爱。请你为它做一张简单的名片，向其他国家的朋友介绍一下吧！

名片

中文名称：
英文名称：
性情：
喜欢待的地方：
喜欢吃的食物：
擅长做的事情：

头像

小朋友，日常生活中我们能看到很多陆地动物，你知道都有哪些吗？利用暑假或寒假等假期，做个陆地动物大调查吧！

陆地动物大调查

调查人：

调查时间：　　　　　　　　天气：

调查地点：

动物名称	数量	特征	生活环境

陆地动物大调查

调查人：

调查时间：　　　　天气：

调查地点：

动物名称	数量	特征	生活环境

图书在版编目（CIP）数据

小亮老师的博物课．大开眼界的陆地动物 / 张辰亮著；尉洋等绘．— 成都：天地出版社，2021.3
ISBN 978-7-5455-6170-8

Ⅰ．①小… Ⅱ．①张… ②尉… Ⅲ．①博物学－儿童读物②陆栖－动物－儿童读物 Ⅳ．① N91-49 ② Q959-49

中国版本图书馆 CIP 数据核字（2020）第 246489 号

XIAOLIANG LAOSHI DE BOWU KE:DA KAI YANJIE DE LUDI DONGWU
小亮老师的博物课：大开眼界的陆地动物

出品人 陈小雨 杨 政
作 者 张辰亮
责任编辑 赵 琳 张芳芳
美术编辑 彭小朵 李今妍
封面设计 彭小朵
责任印制 董建臣

出版发行 天地出版社
（成都市锦江区三色路238号 邮政编码：610023）
（北京市方庄芳群园3区3号 邮政编码：100078）
网 址 http://www.tiandiph.com
电子邮箱 tianditg@163.com
经 销 新华文轩出版传媒股份有限公司

印 刷 北京博海升彩色印刷有限公司
版 次 2021 年 3 月第 1 版
印 次 2022 年 6 月第 17 次印刷
开 本 710mm×1000mm 1/16
印 张 7
字 数 48 千字
定 价 39.80 元
书 号 ISBN 978-7-5455-6170-8

咨询电话：（028）86361282（总编室）
购书热线：（010）67693207（营销中心）

“博物达人”张辰亮带你一起通晓自然万物！

《小亮老师的博物课》配套音频，
喜马拉雅热播课程，扫码马上听！